Animal ABC

Susan Rennie

Illustrated by Karen Sutherland

Aa

auld armadillos
airm in airm

Bb

birlin bears
wi big bahoochies

Cc

crabbit crocodile
wi clarty claes

Dd

drookit draigon
in a dub

Ee

elephant eein
an eariwig

Ff

feart flamingoes
in a fankle

reetin orilla
in a uddle

Hh

hippopotamuses
haudin haunds

Ii

iguana ilin
an icy ingine

Jj

jaguar wi
jaggy jaws

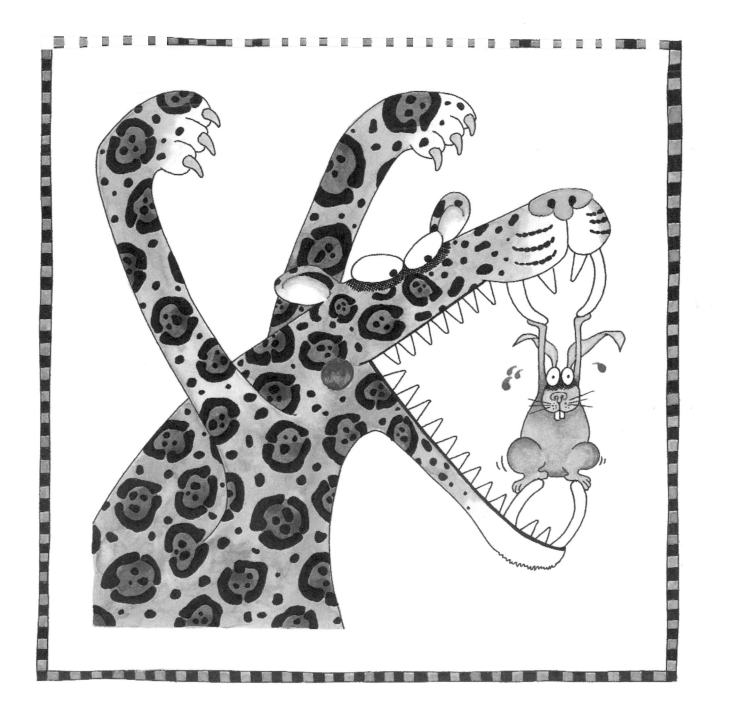

Kk

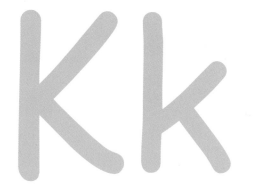

koalas keekin
at kangaroos

Ll

lowpin llama
wi lang lugs

uckle   oose
on the   uin

Nn

narwhal wi a
nairra neb

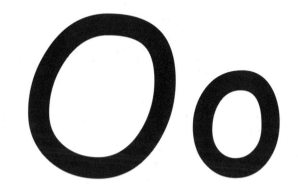

octopus in
ooter-space

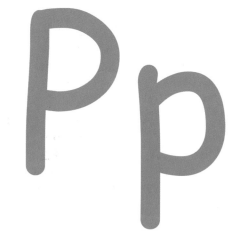

Pp

penguins in peenies
pentin pictures

Qq

squirrels quiltin
aw squeegee

Rr

reid-faced rhino
rinnin roond

Ss

seahorses with
strippit simmits

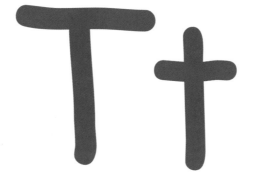

Tt

tottie tigers
wi taigelt tails

unicorns unner
an umberellae

Vv

vultures in luve
veesitin Venice

Ww

wabbit walruses
washin windaes

foxes oxterin
saxophones

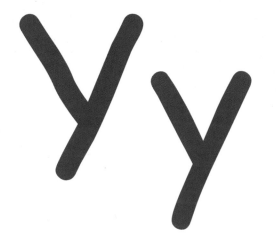

yaks yatterin
ower a yett

Zz

zebras bumbazed
in a maze